PAOLO BUSATO

DEL PAESAGGIO TOSCANO

EDIZIONE FLORENTIA MINOR - FIESOLE

© 1995 - Florentia Minor s.n.c.
Via dei Cipressini, 16 - 50014 Fiesole (FI) - Tel. 055 / 40.17.85
Traduzioni: STUDIO COMUNICARE - Firenze

Selezioni: SELECOLOR - Firenze
Fotocomposizione: IL DOCG - Siena
Stampa: CENTROOFFSET - Siena

La Toscana presenta una tale ricchezza di opere d'arte, di varietà paesaggistiche, di tradizioni storiche, culturali e sociali che ne fanno un "unicum" di straordinario interesse. Sembra che la natura stessa abbia qui predisposto una sorta di laboratorio privilegiato di civilizzazione dove l'uomo, dagli Etruschi in poi, ha potuto crescere e formarsi in armonia tra arte, scienza e vita quotidiana. Ne risulta così un territorio in cui, come in un libro, nonostante i danni, le distruzioni patite nel corso dei secoli e le minacce ben maggiori del presente, è ancora possibile seguire il filo della storia.

Se qui il sapere e l'arte hanno avuto insigni maestri, ciò è dovuto anche alla fertilità della terra e delle genti toscane, che con la loro naturale vocazione alla saggezza e all'arguzia hanno contribuito a formare quel mondo dove il genio affonda le sue radici. Ed è la genialità popolare che si intuisce in questo territorio, dove ancora vi insiste e vi resiste. Sono queste "sensazioni" che il visitatore italiano e straniero percepisce come qualcosa che, travalicando i confini regionali, parli a tutti una lingua comprensibile che racconta di un comune passato, di comuni aspirazioni.

Un tempo la Toscana doveva essere un formidabile reticolo di vie di comunicazione, di rapporti umani e sociali, professionali ed economici, una fabbrica pulsante di vita e di energia in continuo scambio tra le città immerse nel verde e le campagne fittamente abitate. Quando mi trovo ad ascoltare il silenzio delle campagne, la mia personale, forse nostalgica, sensazione è che prima dovesse esserci più vita di quanta non ve ne sia oggi con il nostro benessere e i nostri divertimenti. Con questo non sostengo certo che tutto dovesse andare meglio.

Nei racconti di anziani contadini, che ho potuto conoscere e ascoltare, è sempre presente un padrone, un padrone assoluto fosse esso giusto e comprensivo oppure dispotico e tirannico, un padrone comunque ineluttabile e

The wealth of works of art, the variety of landscapes, historical, cultural and social traditions make Tuscany like no other place on earth.

Nature herself seems to have set up a sort of privileged laboratory of civilization here where art, science and daily life all worked in concert to help man, from the Etruscans on, grow and develop in absolute harmony. As a result, despite the destruction and deterioration sustained throughout the centuries, and the ever graver threats of today, the thread still runs unbroken through the book of history.

The emergence here of outstanding intellects and artists is due in part to the fertility of nature and of the Tuscan people, who with their innate wisdom and wit helped form the world in which genius is rooted. This ingenuity perseveres and endures in the folk culture of this territory and is perceived intuitively by visitors from Italy and from abroad as something that transcends regional boundaries to narrate of a common past, of common aspirations, in a universal tongue.

Once Tuscany must have been an imposing network of communication routes, of human and social relationships, professional and economic, a work yard teeming with life and energy shuttling uninterruptedly back and forth between cities immersed in green and the densely inhabited countryside. When I find myself listening to the silence of the countryside, my personal, perhaps nostalgic, feeling is that there must have been more life here in the past despite the prosperity and recreation facilities that characterize our times. Although this by no means implies that things went better in those days.

Par sa richesse artistique, par la variété de son paysage, par ses traditions historiques, culturelles et sociales, la Toscane est une région unique d'un intérêt extraordinaire. On pourrait croire que la nature a voulu installer ici une sorte d'atelier privilégié de civilisation, où l'homme, depuis les Etrusques, a pu organiser harmonieusement sa vie quotidienne entre l'art et la science. Malgré les dommages subis au cours des siècles, et malgré les menaces plus dangereuses du présent, la Toscane est un territoire dans lequel il est encore possible de vivre dans le sens de l'histoire.

Ici, le savoir et les arts ont eu des maîtres insignes. La fertilité de la nature, et l'esprit toscan, avec sa vocation naturelle de sagesse et de finesse, ont contribués à former ce monde dans lequel le génie plongea ses racines. En effet, une certaine génialité populaire est présente dans ce territoire, elle y naquit, elle y demeure. Le visiteur italien, et l'étranger, ressentent ce souffle qui, dépassant les frontières toscanes, parle à tous et raconte un passé commun d'aspirations communes.

Autrefois, la Toscane était parcourue par un formidable réseau de voies de communication, de rapports humains et sociaux, professionnels et économiques, un foyer vibrant de vies et d'énergies, opérant dans un continuel échange entre les villes, entourées de verdure, et de contrées abondamment habitées. Plongé dans le silence des campagnes, ma première impression, peut-être teintée de nostalgie, est que naguère tout cela devait être plus vivant qu'aujourd'hui, malgré tout notre confort et nos divertissements.

Mais peut-être les choses n'allaient-elles pas mieux pour autant?

Dans les histoires que racontent les vieux paysans il y a toujours un maître, un maître absolu, parfois juste et compréhensif, parfois despotique, un maître, quand

Die Toskana verfügt über einen großen Reichtum an Kunstwerken und landschaftlicher Vielfalt, ihre historische, kulturelle und soziale Tradition machen sie zu einem Einzelfall von außerordentlichem Interesse.

Fast so als hätte die Natur selbst sich hier eine Art ideale Werkstatt der Zivilisation eingerichtet, in der der Mensch, angefangen bei den Etruskern, harmonisch wachsen und sich entwickeln konnte, im Umfeld von Kunst, Wissenschaft und täglichem Leben. Das Resultat ist ein Gebiet, in dem man, trotz der Zerstörungen und der Schäden durch die Jahrhunderte und der weitaus größeren Bedrohungen der Gegenwart, den Verlauf der Geschichte, wie in einem Buch nachverfolgen kann.

Wenn Wissen und Kunst hier herausragende Meister hatten, so ist dies auch dem Reichtum der Natur und der Bewohner der Toskana zu verdanken, die mit ihrer angeborenen Weisheit und ihrem Scharfsinn dazu beigetragen haben, jene Welt zu schaffen, in der das Genie seine Wurzeln fand. Man empfindet gerade die volkstümliche Genialität, die sich in diesem Gebiet weiterhin durchsetzt und behauptet. Dies sind die Eindrücke, die der italienische oder fremde Reisende wahrnimmt, als etwas, das sich jedem beim Überschreiten der regionalen Grenzen in einer verständlichen Sprache vermittelt - es erzählt von einer gemeinsamen Vergangenheit und gemeinsamen Zielen.

Einstmals muß die Toskana ein fantastisches Netz von Verkehrswegen gewesen sein, von menschlichen und sozialen, beruflichen und wirtschaftlichen Beziehungen, eine heftig pulsierende Fabrik voll Lebensenergie und mit einem steten Austausch zwischen den Städten inmitten der grünen Landschaft und der dicht besiedelten Landstriche. Wenn ich höre, wie still hier das Land ist, dann habe ich persönlich dieses vielleicht nostalgische Gefühl, daß es hier früher mehr Leben gab als heute, mit all

immanente quanto una bestemmia; da rispettare ma anche da gabbare. Credo che la saggezza dell'uomo toscano si possa ricondurre a questa dialettica che opponeva il padrone al contadino, alla accettazione inevitabile, quasi naturale, del padrone e al tentativo di aggirarlo e di sdrammatizzarne la presenza con la forza dell'arguzia piuttosto che con quella della disperazione.

Questo mondo quasi cristallizzato per secoli ma sempre in continuo movimento, si reggeva sulla divisione della società in gerarchie secondo leggi e consuetudini che presiedevano e vigilavano all'ordinato svolgimento della vita. A fondamento di tali "regole" vi era il rispetto dell'ambiente, pubblico e privato, come bene capitale produttore di risorse; e in questa ottica era considerato anche il prodotto sia del lavoro che della terra di cui nulla doveva essere sprecato e tutto doveva essere fatto a "regola d'arte".

L'uomo si uniformava a questa economia e improntava il suo comportamento a questo pensiero: una natura semplice e ordinata e molto parsimoniosa. Lo vedo ancora nei movimenti precisi e sicuri del contadino che infiasca il vino con la "canna" senza spandere una goccia, oppure nell'atto di travasare l'olio pescandolo col "nappo" dall'orcio di terracotta. E lo vedo nelle semplici ricette della cucina: dalla fetta di pane unta d'olio o strusciata col pomodoro, ai fagioli cotti nel fiasco posato sulla cenere del focolare, alla zuppa di verdura che poi diventa ribollita.

Se in passato la caratteristica bellezza della natura toscana ha aiutato l'uomo a sopportare le fatiche quotidiane, a dare significato alla sua vita e a trarne ispirazione per le sue opere, oggi quel tanto che ne rimane può aiutare l'uomo contemporaneo a sopportare lo stress della vita moderna, a ricrearsi lo spirito e a meditare in continuità con quanto vi è stato di positivo nel passato.

Io mi auguro che l'ambiente grazie all'opera di coloro che

In the tales I have heard the older peasants tell, there is always a master (*padrone*), an absolute master, just and understanding or despotic and a tyrant, as the case may be, but always a master, "ineluctable and immanent as a curse"; to be respected but also to be duped. I believe that Tuscan sagacity springs from this dialectic in which master and peasant are set one against the other, the inevitable, almost natural, acceptance of the master and the attempt to dupe him, somehow minimizing his inescapable presence in terms of wit rather than giving in to desperation.

What kept this perpetually moving world that seemed hardly to have changed for centuries going, was the division of society into hierarchies in line with laws and rules which saw to it that the daily course of life unfolded in an orderly fashion. At the basis of these "laws" was respect for the surroundings, public and private, as property capital producer of resources; and the products of labor and of the land, where nothing is to be wasted and everything is to be done "as it should be done", were also seen in this same light.

Man complied with this type of economy and behaved in line with the concept of a simple, orderly and extremely frugal nature. A concept to be seen in the precise sure movements of the peasant as he bottles his wine with the "*canna*" so that not a drop goes to waste, or pours off his oil using the "*nappo*" (a tin cup) to draw it from the earthenware jar. Or in the simple savoury recipes: a piece of bread with a trickle of oil or rubbed with tomato, beans cooked in the flask set in the ashes of the fireplace, vegetable soup which then becomes "*ribollita*" (twice boiled).

même, inéluctable, immanent. Un maître à respecter mais aussi à rouler. Je crois que la sagesse du Toscan vient aussi de ce rapport qui opposait le paysan au maître, de cette acceptation inévitable, presque naturelle, et de cette nécessité de composer avec lui, de le tromper, de dédramatiser la situation, avec la force de l'astuce plutôt qu'avec la force du désespoir.

Ce monde, pratiquement cristallisé durant des siècles mais en mouvement continuel, reposait sur les divisions que présentait la société, hiérarchisée selon des lois s'appuyant sur une tradition qui contrôlait le déroulement ordinaire de la vie. L'une des bases de ces lois était le respect de l'environnement, public et privé, en tant que capital producteur de ressources; et dans cette optique il était considéré tant comme produit du travail que de la terre elle-même, terre dont rien ne devait être gaspillé, et pour laquelle tout devait être fait selon les règles.

L'homme se conformait à cette économie et aiguillait son comportement dans cette pensée : une nature simple, ordonnée et très parcimonieuse. On le voit encore dans les gestes sûrs et précis du paysan quand il met le vin en bouteilles avec la pipette, sans en répandre une goutte, ou quand il transvase l'huile d'olive, la puisant avec une espèce de louche dans la jarre en terre cuite. Et je le remarque encore dans la simplicité des savoureuses recettes de cuisine : la tranche de pain tartinée d'huile d'olive ou de coulis de tomate, les haricots cuits dans la fiasque posée sur les cendres de la cheminée, la soupe de légumes cuite, et recuite.

S'il est vrai que dans le passé, la beauté du paysage a pu aider l'homme dans sa tâche quotidienne, a donné un sens à sa vie et lui a permis d'en tirer une inspiration pour ses oeuvres, aujourd'hui, ce qui reste de cette beauté peut aider l'homme contemporain à supporter le stress de la vie moderne, à se retremper l'esprit et à méditer sur le

unserem Wohlstand und unseren Vergnügungen. Damit will ich natürlich nicht behaupten, daß alles besser war.

In den Erzählungen der alten Bauern, die ich kennengelernt habe und denen ich zuhören durfte, gibt es immer einen Gutsherrn, einen absoluten Herrn, ob er nun gerecht und verständnisvoll oder ein despotischer Tyrann war, so unvermeidbar und selbstverständlich wie ein Fluch, ein Herr, den man respektierte aber auch hinterging. Ich glaube, daß die Schläue der Toskaner sich auf diese Dialektik zurückführen läßt, die Gutsherrn und Bauern einander gegenüberstellte und die schließlich auf natürliche Weise dazu führte, daß der Herr unweigerlich akzeptiert aber auch möglichst betrogen wurde. Seine Anwesenheit wurde mittels der Kraft der Volksschläue erträglich gemacht und nicht durch die der reinen Verzweiflung.

Diese Welt, über Jahrhunderte hindurch klar gefestigt, aber trotzdem in ständiger Bewegung, basierte auf der hierarchischen Strukturierung der Gesellschaft, entsprechend der Gesetze und Gewohnheiten, die den geordneten Ablauf des Lebens regelten und ermöglichten. Am Ursprung dieser "Regeln" stand der Respekt vor der Umwelt, der öffentlichen und privaten, als kapitalem Gut, mit dem man etwas erwirtschaften konnte. Unter diesem Gesichtspunkt betrachtete man auch den Ertrag der Arbeit und des Bodens, von dem nichts verschwendet werden durfte und alles den "Regeln der Kunst" entsprechen mußte.

Der Mensch glich sich dieser Form der Wirtschaft an und richtete sein Verhalten danach aus: sehr einfach, geordnet und sparsam. Dies sehe ich noch in den präzisen und sicheren Bewegungen des Bauerns, der den Wein mit dem "Röhrchen" abfüllt, ohne dabei nur einen Tropfen zu verlieren, oder das Öl umfüllt und dabei mit dem "nappo"* aus dem Tonkrug schöpft. All dies sehe ich auch bei den einfachen und schmackhaften Küchenrezepten,

lavorano e creano con rispetto e passione possa risorgere a nuova vita. E in questa direzione sembrerebbero avviarsi le attività della campagna: si richiedono e si producono sempre di più bevande e alimenti di qualità, dai vini pregiati e noti a quelli meno noti ma sempre genuini, all'olio nostrale, ai salumi, al formaggio.

Sul fronte del turismo si offrono nuovi servizi a minore impatto ambientale, come l'agriturismo che consente inoltre il recupero economico, strutturale e produttivo di molte case coloniche e dei terreni che le circondano, che altrimenti finirebbero per franare o diventerebbero sterili seconde case.

E così queste case, di sassi o di mattoni, schiette nelle loro forme e forti nelle fondamenta, abbandonate o restaurate, continuano a ospitare la storia e la speranza in una vita più umana.

Credere e sperare va bene, però è necessario che in primo luogo le autorità comunali stimolino una effettiva opera di recupero edilizio, ambientale e paesaggistico, indirizzando e vigilando perché questo accada. A volte molte amministrazioni e gli abitanti stessi non sono consapevoli delle enormi ricchezze del loro territorio e così si assiste alla crescita abnorme e senza regole di nuovi insediamenti urbani e industriali, a veri e propri abbandoni ed esodi dai centri storici, con le immaginabili conseguenze.

Paradossalmente il turismo, che molto spesso è fonte di degrado ambientale, può in questo caso rappresentare, per il suo valore economico e psicologico (che cosa abbiamo qui di così bello e di così importante se tanta gente viene a visitarci?), un fattore di sensibilizzazione e di sprone al recupero. Non sarebbe male che in questo senso gli stessi turisti segnalassero alle autorità comunali le loro critiche o il loro consenso.

Che relazione c'è tra quanto ho scritto finora e le mie

If in the past the beauty of the Tuscan countryside helped man support the fatigue of his daily labor, give meaning to life and furnish inspiration for his works, what still remains can help the man of today withstand the stress of modern life, renew his spirit and meditate, as continuation of the positive aspects of the past.

I fervently hope that the efforts of those who work and create with respect and passion will succeed in infusing new life into these surroundings. The activities of the land seem to be headed in this direction: the demand for quality beverages and foodstuffs and their production is on the upswing, from fine well-known wines to others that are less well-known, but genuine, locally produced oil, sausages and preserved meats, cheese.

In the field of tourism the effect on the environment of the new services being offered is limited. Farm holidays, for instance, mean that many farm houses and the surrounding lands, which otherwise would go into ruin or be turned into wasteland, can be saved economically, structurally and productively. These houses, of stone or brick, with their simplicity of form and strong foundations, abandoned or restored, continue to function as containers for history and for the hope in a more human kind of life.

Believing and hoping is all fine, but the civic authorities must first and foremost stimulate an effective retrieval of buildings, environment and landscape, addressing themselves wholeheartedly to this task. Often the administrations and the inhabitants themselves are unaware of the enormous wealth to be found in their territory and the result is an abnormal unregulated growth of new urban and industrial settlements, with an exodus

côté positif du passé.
Personnellement, j'espère que l'environnement, grâce à ceux y travaillent, avec respect et passion, puisse trouver une nouvelle vie. Et il semble que ce soit dans cette direction que se dirigent les activités de la campagne : on tend toujours plus à produire des aliments de qualité, des vins estimables, connus ou moins connus, mais toujours authentiques, de l'huile d'olive, des cochonnailles, des fromages.
Du côté du tourisme, on offre de nouveaux services, moins traumatisants pour l'environnement, tels l'Agritourisme qui permet la récupération économique, structurelle et productive de nombreuses fermes avec les terrains qui les entourent, fermes qui finiraient par se dégrader ou deviendraient de stériles maisons secondaires. C'est ainsi que ces maisons, de pierre ou de brique, rudimentaires dans leurs formes et fortes dans leurs fondations, abandonnées ou restaurées, prolongent l'histoire et l'espoir d'une vie toujours plus humaine.
Croire et espérer. D'accord. Mais il est nécessaire aussi que les autorités municipales stimulent ces activités de récupération des constructions, de l'environnement et du paysage. Quelquefois, l'administration et les habitants eux-même ne sont pas conscients des énormes richesses de leur territoire et il arrive que l'on assiste à l'implantation anormale, et sans aucune règle, de nouveaux groupes de maisons, ou d'industries, et à l'exode de centres historiques avec toutes les conséquences que l'on peut imaginer.
Paradoxalement, le tourisme qui est parfois une source de dégradation de l'environnement, peut, dans certains cas, représenter, grâce à sa valeur économique et psychologique, un facteur de sensibilisation et un encouragement à la récupération. Le paysan, l'habitant de petites bourgades se dira «Mais qu'avons-nous de si

angefangen bei der Scheibe Weißbrot, die mit Öl beträufelt und mit Tomate eingerieben wird, bishin zu den weißen Bohnen, die im Krug in der Asche des Feuers gekocht werden, oder der Gemüsesuppe, die zur "Ribollita" wird.
Die charakteristische Schönheit der toskanischen Landschaft half in der Vergangenheit dem Menschen dabei, die Last des täglichen Lebens zu ertragen, dem Leben einen Sinn zu geben und Inspiration zu seinen schöpferischen Werken zu finden. Heute kann das, was noch von dieser Landschaft besteht, dem modernen Menschen dabei helfen, den Stress des heutigen Lebens zu überwinden, geistige Erholung zu finden und kontinuierlich darüber nachzudenken, was die Vergangenheit an Positivem zu bieten hatte.
* Gefäß in Form eines Glases (oder Tasse) aus verzinntem Blech.

Ich hoffe sehr, daß die natürliche Umwelt dank derer, die hier mit Respekt und Leidenschaft arbeiten und schaffen, erneut erblühen kann. In dieser Richtung scheint sich auch die landwirtschaftliche Produktion zu bewegen. Die Nachfrage und Produktion von qualitativ guten Getränken und Lebensmitteln nimmt stetig zu, angefangen bei hervorragenden und bekannten Weinen, bishin zu weniger bekannten, aber immer unverfälschten Weinen, hiesigem Öl, Wurstwaren und Käsen.
Auf dem Gebiet des Tourismus werden neue Möglichkeiten angeboten, die sich weniger negativ auf die Umwelt auswirken, wie der Agritourismus, der darüberhinaus die wirtschaftliche, strukturelle und produk-tive Erhaltung vieler Bauernhöfe mit ihrem umliegenden Land ermöglicht, die sonst verfallen wären, oder ein Schicksal als unpersönliche Ferienhäuser erlitten hätten. Diese Häuser, gebaut aus Steinen oder Ziegeln, mit

fotografie? Voglio pensare che ci sia, dal momento che si tratta della stessa persona, ma non voglio addentrarmi in questo argomento e preferisco lasciare il quesito, se può interessare, al giudizio del lettore. In ogni caso credo di riuscire ad esprimermi meglio con la fotografia, perché è una forma di comunicazione più diretta.

Attraverso la fotografia cerco di rappresentare quegli aspetti che meglio caratterizzano la peculiarità del paesaggio; quest'ultimo diviene infine il mezzo per dialogare e per esprimere sensazioni e sentimenti. Per quanto concerne la tecnica fotografica, evito di intervenire artificialmente nella formazione dell'immagine (ad esempio con l'uso di filtri colorati), se non mediante la scelta della pellicola e dell'inquadratura.

Questo paesaggio toscano è il risultato del lavoro fatto dalla natura e dall'uomo nel corso dei secoli.

Il fluire del tempo e delle stagioni crea la luce e i filtri che utilizzo per le mie riprese fotografiche.

Quando il tempo è variabile e il sole e le nuvole rincorrendosi per il cielo accendono e spengono qua e là il palcoscenico della campagna, allora fremo di gioia e di paura: le mani mi si imbrogliano, non riesco ad avvitare il flessibile alla fotocamera, provo e riprovo l'inquadratura, mi assicuro che la pellicola giri e che non sia sganciata come talvolta mi è capitato.

La gioia è per l'emozione di essere presente a questo spettacolo messo in scena dalla natura, la paura è per la sensazione di inadeguatezza del mio agire.

Il regista e il soggetto è la natura stessa, la cosa migliore da fare è disporsi a seguirla nelle sue evoluzioni.

Così questi momenti si imprimono nella mia memoria e, quando va bene, anche nelle fotografie che diventano storie; se queste storie raccontano e parlano anche ad altri, allora ho raggiunto il mio scopo.

Ne ho maggiore consapevolezza dopo aver visto le

from the historical centers and their subsequent abandon, with foreseeable consequences.

Paradoxically tourism, which is often responsible for environmental deterioration, can in this case, thanks to economic and psychological factors (what have we got that is so beautiful and important as to attract so many people to come and see it?) play an important role in the awakening of public opinion, and act as stimulus to salvaging. It might not be a bad idea if the tourists themselves were to communicate their criticism or agreement to the civic authorities.

What does all this have to do with my photographs?

I rather like to think that there is a connection between the two, for both after all are the work of the same person. But let's leave philosophy aside. Should he find it of interest, this is a problem the reader can deal with if he likes. In any case I think I express myself better in photography because it is a more direct form of communication.

In my photographs I am trying to capture the specific personality of a specific landscape; which ends up by becoming a means to express sensations and feelings. With regards to technique, I prefer not to use artificial aids in taking the picture (such as, for example, colored filters), limiting myself to the choice of film and the framing. This Tuscan landscape has been shaped by nature and by man in the course of the centuries.

The passing of time and the seasons are what create the light and filters that I use for my photos. Especially when the weather is changeable and the sun and clouds play tag in the sky, illuminating and darkening the stage of the

intéressant et de si important pour que tant de monde vienne nous voir?» En ce sens, il ne serait pas mal que les touristes fassent part aux autorités locales de leurs critiques et de leurs approbations.

Quelle relation y-a-t-il entre ce que je viens d'écrire et mes photos? J'aime à penser qu'il y en a une et je laisse le lecteur la découvrir de lui-même, sûr de m'exprimer mieux par la photographie, qui est aussi un mode de communication direct, que par l'écriture.

A travers la photographie je tente de représenter les aspects qui caractérisent le mieux la particularité d'un paysage. A son tour, ce dernier devient le moyen d'exprimer sensations et sentiments. Pour ce qui concerne la technique photographique j'évite d'intervenir de façon artificielle dans la formation de l'image (par exemple en n'utilisant pas de filtres colorants), me limitant au choix de la pellicule et du cadrage. Les changements de couleurs des saisons créent l'intensité de la lumière : ce sont les filtres que j'utilise pour mes poses.

Quand le temps est variable, les nuages se poursuivent dans le ciel et le soleil allume et éteint, ça et là, le lieu scénique de la campagne. Le metteur en scène est la nature elle-même, la meilleure chose à faire et de suivre ses évolutions.

Avec joie, avec crainte, les mains maladroites par l'émotion, je tente de visser le flexible à l'appareil, j'essaie un cadrage, un autre, je m'assure que la pellicule est en place et non oubliée comme cela m'est déjà arrivé...

La joie est dans l'émotion d'être présent au moment où la nature met en scène ce spectacle, la crainte est dans la sensation de la difficulté à saisir le moment.

Ainsi, ces moments s'impriment dans ma mémoire et, quelquefois, sur la pellicule, et deviennent des histoires; et si ces histoires parlent aussi à d'autres, j'ai atteint mon but. L'impression est plus vive avec les diapositives mais le

schlichten Formen und festen Fundamenten, verlassen oder restauriert, beherbergen weiterhin die Geschichte und die Hoffnung auf ein menschlicheres Leben.

Glauben und hoffen ist zwar gut, jedoch müßten in erster Linie die kommunalen Behörden effektiv die bauliche und landschaftliche Erhaltung und die Rettung der Umwelt vorantreiben, die Richtung weisen und die Ausführung überwachen. Manchmal wissen die Behörden und die Bewohner nichts von dem enormen Reichtum ihres Landstrichs und so sieht man dann, wie riesige Wohnsiedlungen und Industrieanlagen ohne jede Regelung entstehen und historische Ortskerne verlassen werden - mit den entsprechenden Folgen.

Der Tourismus, der häufig Ursache für den landschaftlichen Ruin ist, wird paradoxerweise in diesem Fall, aufgrund seiner wirtschaftlichen und psychologischen Bedeutung (was haben wir hier, das so schön und bedeutend ist, daß uns so viele Menschen besuchen?) zu einem Sensibilisierungsfaktor und zum Anreiz für erhaltenden Wiederaufbau. Es wäre gar nicht schlecht, wenn die Touristen selbst in diesem Sinne den örtlichen Behörden ihre Kritik und Zustimmung mitteilten.

Welche Beziehung besteht nun zwischen meinem bisher verfaßten Text und meinen Fotografien? Denn angesichts der Tatsache, daß der Autor derselbe ist, sollte dies der Fall sein, doch möchte ich dieses Thema nicht weiter vertiefen, sondern die Entscheidung dem Urteil des Lesers überlassen. Jedenfalls glaube ich, daß ich mich besser durch die Fotografie ausdrücke, da sie eine direktere Kommunikationsform ist.

Mittels der Fotografie versuche ich, die Merkmale darzustellen, die für die Landschaft am charakteristischsten sind; letztere wird so zum Ausdrucksgegenstand für Eindrücke und Gefühle. Was die Technik der Fotografie betrifft, vermeide ich es, künstlich in das Bild einzugreifen,

diapositive; anche lo sviluppo della pellicola è una "magia" che mi riempie sempre di stupore e di meraviglia.

Quando ricevo una lettera come questa: "I bought your 1994 calendar in Gaiole in Chianti in September 1993. My girlfriend (whom I met on the trip) and I have enjoyed each month of it" (Ho comprato il suo calendario 1994 a Gaiole in Chianti nel settembre del 1993. La mia ragazza, che ho conosciuto durante il viaggio, ed io ce lo siamo goduto tutti i mesi), allora sento di essere riuscito a comunicare e ciò mi dà nuove soddisfazioni e nuovi stimoli per continuare nel mio lavoro. Sono queste le gioie che ci rendono più gradevole la vita di tutti i giorni; è come avere un buon vino e invitare gli amici a far festa.

In questo volume, che riprende il mio precedente "Sempre Toscana", ripropongo variazioni sullo stesso tema insistendo sugli stessi soggetti che continuano a sedurmi con note sempre nuove e mutevoli.

Non ho voluto richiamarlo "Sempretoscana" né "Paesaggio toscano" perché si tratta solo di una parte di questo, sebbene sia la più conosciuta e quella che, secondo me, meglio si presta ad essere fotografata.

A Firenze devo il nome della mia editrice "Florentia Minor". Dopo alcuni anni che vi abitavo, smaltita la sbornia delle grandi opere d'arte e di architettura, ho cominciato a scorgere dei particolari (porte, finestre, capitelli, iscrizioni, stemmi, scorci di vedute, ecc.) che hanno esercitato ed arricchito il mio modo di guardare e di apprezzare anche le cose minori. Abitando a Firenze, il Chianti era la zona più a portata di mano per le nostre scorribande giovanili. Inoltre vi erano, ed in parte vi sono ancora, forti presenze di civiltà contadine che ci incuriosivano particolarmente e, perché no, anche del buon vino!

San Gimignano con le sue alte torri è una sorta di Pompei medievale che ci riporta indietro nel tempo, il paesaggio è qui aperto e dolce, va poi inasprendosi mentre la strada

countryside here and there, then, joyful and fearful at one and the same time, I seem to be all thumbs, my shutter cord won't screw onto the camera, the right framing seems to elude me, I check to see that the film winds up properly and that the leader hasn't slipped, as has happened once or twice before.

Joyful because I find myself a spectator of this marvelous show staged by nature, fearful because I realize how inadequate my attempts are.

Nature is stage director, nature is the subject. The best thing to do is prepare to follow them in their development. These are the moments one remembers, and if all goes well, they are captured in the photographs which turn into stories; and if these then tell their tales to others, I have achieved my aim.

I am most aware of this after looking at the slides; developing the film is also "magic" and always fills me with wonder and awe.

When I receive a letter like this: "I bought your calendar - the 1994 version of Gaiole in Chianti - in September 1993. My girlfriend, whom I met on the trip, and I have enjoyed each month of it.", I feel that I have succeeded in communicating. It provides me with the satisfaction and stimulus I need to continue my work. These are the joys of everyday life, like having a bottle of good wine and inviting friends to come and share it.

This book is a continuation of my preceding "Sempre Toscana", reproposing variations on a theme which continues to seduce me, offering ever new and unexpected variations on the theme.

I didn't want to call it "Sempre Toscana" again, nor

développement de la pellicule participe aussi de la magie et me remplit toujours de stupeur et d'émerveillement.

Je comprends que j'ai réussi à communiquer mes impressions quand je reçois une lettre comme celle-ci "I bought your 1994 calendar in Gaiole in Chianti, in September 1993. My girlfriend, whom I met on the trip, and I, have enjoyed each month of it." (J'ai acheté votre calendrier 1994 à Gaiole in Chianti, en septembre 1993. Mon amie, que j'ai rencontrée lors de ce voyage, et moi, sommes heureux de le feuilleter tous les mois.) Cela me donne de nouvelles satisfactions et de nouvelles impulsions pour continuer dans mon travail. Ce sont les joies qui nous rendent la vie plus agréable. C'est comme avoir un bon vin et inviter les amis à faire la fête.

Dans ce volume qui reprend le précédent "Sempre Toscana", je propose des variations sur le même thème, insistant sur les mêmes sujets qui continuent à me séduire de façon toujours nouvelle et changeante.

C'est en hommage à la ville de Florence que j'ai choisi le nom de ma maison d'édition "Florentia Minor". Après y avoir habité quelques années, après avoir digéré la quantité énorme d'oeuvres d'art et d'architecture, j'ai commencé à découvrir des détails (portes, fenêtres, chapiteaux, inscriptions, blasons, raccourcis...) qui ont enrichi ma façon de regarder et d'apprécier les choses mineures. Habitant à Florence, le Chianti était la zone la plus proche pour mes incursions de jeune-homme et pour les réunions avec des amis. En outre, il y avait, et il y a encore, de forts accents de civilisation paysanne qui me fascinaient particulièrement et, pourquoi pas? il y avait aussi du bon vin!

San Gimignano, avec ses hautes tours, est une sorte de Pompéi médiévale qui nous ramène loin en arrière dans le temps. Le paysage environnant est ouvert et doux, puis il se durcit quand la route monte vers l'étrusque Volterra.

zum Beispiel durch Farbfilter, sondern ausschließlich durch die Wahl des Films und den Bildausschnitt selbst.

Die Landschaft der Toskana ist das Ergebnis der Arbeit, die die Natur und die Menschen im Laufe der Jahrhunderte geleistet haben.

Der Fluß der Zeit und der Jahreszeiten schaffen das Licht und die Filter, die mir für meine Fotoaufnahmen nützen.

Besonders wenn das Wetter wechselhaft ist, Sonne und Wolken einander jagen, um hier und da die Landschaft wie eine Bühne zu erleuchten oder zu verdunkeln, verknoten sich meine Hände voll Freude und auch voll Angst und es geling mir nicht, den Fernauslöser an die Kamera zu schrauben. Immer wieder probiere ich den Bildausschnitt und versichere mich, daß der Film transportiert und nicht verhakt, so wie es mir auch schon passiert ist.

Die Freude entsteht durch die Begeisterung, an diesem Naturschauspiel teilzuhaben, die Angst kommt durch das Gefühl, daß mein Handeln dem allen nicht gewachsen ist.

Der Regisseur und das Thema ist die Natur selbst und das Beste, was man machen kann, ist sich bereitzuhalten, um ihr in ihrem Wechselspiel zu folgen.

So vertiefen sich diese Momente in meiner Erinnerung und, wenn ich Glück habe auch in den Fotografien, die zu Geschichten werden; wenn diese Geschichten auch andere ansprechen, dann habe ich mein Ziel erreicht.

Größere Gewissheit darüber bekomme ich, wenn ich die Dias gesehen habe. Auch die Entwicklung des Films ist immer wieder ein Zauber, der mich in Erstaunen und Verwunderung versetzt.

Wenn ich einen Brief erhalte wie diesen: "I bought your calendar - the 1994 version of Gaiole in Chianti - in September 1993. My girlfriend, whom I met on the trip, and I have enjoyed each month of it." (Ich habe im September 1993 Ihren Kalender, Gaiole in Chianti 1994 gekauft. Meine Freundin, die ich auf dieser Reise kennenlernte und ich

sale verso l'etrusca Volterra.

Siena è la città antica del tufo e del cotto che più orgogliosamente resiste ai tempi moderni; è circondata da una vivida e multiforme campagna costellata di paesi e cittadine di nobili origini a lei legate per le comuni vicende storiche e umane. La Scialenga è la regione di Siena chiamata anche delle Crete senesi; per certi aspetti simile al Volterrano e alla Val d'Orcia, ma più arida e desolata.

Per la Val d'Orcia devo spendere qualche parola in più, perché è qui che ignaro e ingenuo sono stato affascinato dalla bellezza di una natura solare sempre prodiga di nuove visioni. In questo laboratorio naturale di forme e colori ho avuto la fortuna di intraprendere il mio tirocinio di fotoamatore.

In Val d'Orcia, e precisamente a San Quirico, ci sono arrivato sposando mia moglie che, pur essendo nata a Montepulciano, ha qui le sue origini e la maggior parte dei parenti. A San Quirico ho imparato ad annusare gli odori farinosi delle vecchie case, i profumi muffati delle sue cantine dove si conservano e si stagionano insaccati e prosciutti lavorati in casa, il vino rosso e corposo che ricorda il Brunello della vicina Montalcino, e ancora l'olio saporito e magro delle colline. Qui ho conosciuto e ascoltato dai racconti dei vecchi come era la vita in campagna fino a pochi decenni or sono, storie di raccolti e di bestiame, di fatiche e di padroni, di grandi famiglie, di incomprensioni e di sopportazioni, di rispetto, di amore e di vita.

Questo il punto di partenza. E poi la scoperta della campagna appena fuori dalle mura, del Belvedere, di Vitaleta e del Cipressino, e in cerchi sempre più larghi fino a Pienza e Monticchiello, la Val di Chiana, Cortona e il Trasimeno, Montalcino e la magnifica abbazia di Sant'Antimo, tutti luoghi che si commentano da sé.

Ma mi è sempre dolce ripercorrere avanti e indietro i cerchi di questa spirale.

"Paesaggio Toscano" (Tuscan Landscape), for the landscape is only a part, albeit the best known and, I believe, the most suitable for photography.

My publishing house, "Florentia Minor" owes its name to Florence. After living there for several years, and having gotten over my initial intoxication on great works of art and architecture, I began to note details (doors, windows, capitals, inscriptions, coats of arms, nooks and corners, etc.) which trained and enriched my way of looking and appreciating the lesser things. Living in Florence, the easiest zone to reach for excursions of my youth and for my friends was the Chianti; and our curiosity was whetted by the manifest signs of peasant culture, some of which still linger on, and - why not! - good wine as well.

San Gimignano with its tall towers is a sort of medieval Pompeii which takes us back in time, the landscape here is open and soft, and becomes harsher as the road rises towards Etruscan Volterra.

Siena is the ancient city of tufo and brick which withstands modern times with the geatest pride; it is surrounded by a vivid and multiform countryside with a spattering of villages and towns of noble origins bound to Siena as a result of shared historical and human vicissitudes. The Scialenga is the region of Siena that also goes by the name of *Crete senesi*, similar in certain aspects to the area of Volterra and the Val d'Orcia, but more arid and desolate.

A bit more must be said about the Val d'Orcia, for it is here that, untutored and naive, I was charmed by the beauty of a solar nature prodigious of new visions. In this natural workshop of forms and colors I was lucky enough to begin my apprenticeship as amateur photographer.

Sienne est la ville antique du tuf et de la terre cuite qui, plus orgueilleusement que d'autres, résiste aux temps nouveaux. Elle est entourée d'une végétation vivace et de bourgades et petites villes de nobles origines, liées à elle par des événements historiques et humains bien lointains. La Scialenga est la région de Sienne appelée aussi "région de la terre de Sienne". Par certains côtés elle ressemble à la région de Volterra et à la Val d'Orcia, mais en plus aride et désolé. Mais il faut dire encore deux mots sur la Val d'Orcia, parce que c'est là que j'ai été fasciné par la beauté de la nature solaire, toujours prodigue de visions changeantes. C'est dans cet ensemble naturel de formes et de couleurs que j'ai eu la chance d'entreprendre mon apprentissage de photographe amateur. C'est aussi en Val d'Orcia, et précisément à San Quirico que j'ai épousé ma femme; bien qu'originaire de Montepulciano, elle tire ses origines de la Val d'Orcia où vit la plupart de sa famille. A San Quirico j'ai appris à reconnaître l'odeur mat des vieilles maisons, celle de la moisissure des caves où l'on conserve les saucissons et les jambons faits à la maison, le vin rouge et solide qui rappelle le Brunello de la voisine Montalcino, et l'odeur de l'huile savoureuse et maigre des collines. Ici, j'ai pu entendre les histoires des vieux sur la vie à la campagne autrefois, jusqu'à quelques dizaines d'années en arrière, des histoires de bétail, de fatigues, de maîtres, de grandes familles, d'incompréhensions et d'acceptations, de respect, d'amour et de vie. C'était le point de départ. Et puis la découverte de la campagne, à peine au-delà des murs, du Belvedere, de Vitaleta et du Cipressino; et, en élargissant le cercle, jusqu'à Pienza et Montichiello, Montepulciano, la Val di Chiana, Cortona et le lac Trasimène, Montalcino et la magnifique abbaye de Sant'Antimo, lieux qui n'ont pas besoin de commentaires. Mais il m'a semblé doux de parcourir un moment les cercles de cette spirale.

haben jeden Monat davon genossen.), dann habe ich das Gefühl verstanden zu werden und das verschafft mir große Befriedigung und neuen Auftrieb, um mit meiner Arbeit fortzufahren. Dies sind die Freuden, die das tägliche Leben bereichern; so als hätte man einen guten Wein und würde die Freunde zu einem Fest einladen.

In diesem Band nehme ich den Vorgänger "Immer Toskana" wieder auf und biete Variationen desselben Themas, dabei vertiefe ich erneut die Themen und Motive, die mich weiterhin auf immer neue und veränderte Weise verzaubern.

Ich wollte ihn nicht "Immer Toskana" nennen und auch nicht "Landschaft der Toskana", denn es handelt sich nur um einen Teil davon, auch wenn es der bekannteste ist und derjenige, der sich meiner Meinung nach am besten fotografieren läßt.

Florenz verdanke ich den Namen meines Verlags "Florentia Minor".
Nachdem ich hier einige Jahre lebte und den großen Rausch der Kunst- und Architekturwerke überwunden hatte, begann ich, Details wahrzunehmen (Türen, Fenster, Kapitelle, Inschriften, Wappen, Teilansichten etc.), die meine Fähigkeit, auch die kleineren Dinge wahrzunehmen und zu schätzen gefördert haben. Von Florenz aus lag das Chianti-Gebiet nahe für jugendliche Streifzüge und für die Freunde. Dazu kamen noch die Aspekte der bäuerlichen Kultur von heute und einst, die uns besonders inter-essierten und - warum auch nicht - der gute Wein.

San Gimignano mit seinen hohen Türmen ist eine Art mittelalterliches Pompeji, das uns in andere Zeiten zurückversetzt. Die Landschaft ist hier offen und lieblich, wird aber immer herber, wenn man die Straße zum etruskischen Volterra hinauffährt.

Siena ist die alte Stadt aus Tuff- und Ziegelstein, die sich der modernen Zeit auf stolzeste Art widersetzt. Das Land

darum ist lebendig und vielfältig, mit Orten und Städtchen, die ihren Ursprung im Adel finden und durch ihren gemeinsamen historischen und humanen Werdegang eng mit Siena verbunden sind. Die Gegend um Siena heißt Scialenga oder auch «Region der Sienesischen Tonerde», die in gewisser Hinsicht Volterra und dem Orcia-Tal ähnelt, aber herber und öder.

Was das Orcia-Tal anbelangt, muß ich zusätzlich noch einige Wörter verlieren, denn gerade hier wurde ich, unwissend und ahnungslos von der strahlenden Schönheit der Landschaft gefesselt.

I arrived in the Val d'Orcia, more specifically at San Quirico, through marriage, for most of my wife's relatives lived here, the land of her origins, despite the fact that she was born in Montepulciano. At San Quirico I learned to recognize the dusty smell of old houses, the musty fragrances of cellars where homemade salamis and hams were kept to age, the red full-bodied wine that recalls the Brunello of nearby Montalcino, and the lean fruity oil of the hills. It was here that I listened to the tales the old people told of what life in the country was like up to a score of years ago, or so, stories of harvests and farm animals, of hard work and of masters, of large families, of incomprehension and forbearance, of respect, of love and life.

This was the point of departure. And then the discovery of the countryside just outside the walls, Belvedere, Vitaleta and Cipressino, in ever widening circles up to Pienza and Monticchiello, Montepulciano, the Val di Chiana, Cortona and the Trasimeno, Montalcino and the magnificent abbey of Sant'Antimo, all places which have no need of comment.

But I never tire of going back and forth through the circles of this spiral.

NORD — EST — SUD — OVEST

CASTIGLION DEL LAGO

CORTONA

AREZZO

CHIANCIANO

MONTEPULCIANO

PIENZA

S.QUIRICO D'ORCIA

S.ANTIMO

LE CRETE

ASCIANO

MONTALCINO

FIRENZE

RADDA

CASTELLINA IN CHIANTI

SIENA

MONTERIGGIONI

POGGIBONSI

SAN GIMIGNANO

S.GALGANO

17

ELENCO DELLE FOTOGRAFIE
PER LOCALITÃ ED EPOCA DI RIPRESA

RITORNO IN VAL D'ORCIA
MONTALCINO E SANT'ANTIMO

Finito di stampare nel mese di Febbraio 1998
II edizione 1998